Rudolf Steiner 1861~1925

어떻게

그리스도를

발견

하는가?

어떻게 그리스도를 발견하는가?

루돌프 슈타이너 강연

최혜경 옮김

1918

취리히

루돌프 슈타이너의 강연집을 읽기 전에

인지학적 정신과학*의 근거를 형성하는 데는 양 기둥이 있다. 그 중 하나는 루돌프 슈타이너가 글로 써서 세상에 내보낸 것들이다. 이에는 처음부터 단행본으로 저술한 책 외에도 서간문과 논설문 등이 해당한다. 다른 기둥은 루돌프 슈타이너가 1900년부터 1924년까지 신지학 협회(나중에는 인지학 협회) 회원들과 일반인들을 대상으로 한 약 6000여 회의 강연 내용이다.

슈타이너 자신은 미리 쓴 원고 없이 자유롭게 강연한 내용이 활자로 인쇄되어 전파되는 것을 전혀 원하지 않았다. 슈타이너의 강연 방식을 고찰해 보면 그 이유가 분명해질 것이다. 강연이란 보통 연사가 미리 정한 내용을 청중의 영적인 상태와 무관하게 전달하는 것이다. 슈타이너는 청중의 영적인 요구사항을 직접적으로 강연에 참작했다. 청중의 '영혼생활 속에 일어나는 울림을 귀기울여 듣고' 그렇게 '듣고 있는

~~~~~~

* 인지학적 정신과학_ "인간 존재 속의 정신적인 것을 우주 속의 정신적인 것으로 인도하는 인식의 길"(출처 『인지학의 원칙』 GA 26) 정신과학의 방법은 신비주의적으로 모호하지 않고, 현대 자연과학적 방법과 똑같이 완전한 의식의 명료한 사고를 통해 정신세계에 학문적으로 정확하게 접근하도록 한다.

* 본문에서 GA는 슈타이너 전집을 말한다.
~~~~~~

것 바로 그 한복판에서 생생하게 공생하는 동안 강연의 골조가' 생겨났기 때문에, 그런 전후문맥에서 시간적, 공간적으로 완전히 분리된 책은 실제의 강연과 거리가 먼 것이 될 위험이 다분하다. 바로 그래서 슈타이너는 "말로 한 표현이 말로 한 그대로 남아 있기를" 바랐다.

그런데 슈타이너의 그런 바람과는 달리 세월이 흐르면서 청중이 강연 중에 받아 적은 필사본이 꾸준히 확산되었다. 게다가 그 내용이 불완전하고 심지어는 틀린 부분도 있었기 때문에, 슈타이너는 그런 필사본을 어떤 식으로든 교정해야 하는 상황에 있었고, 그 과제를 마리 슈타이너에게 맡겼다. 속기사 선택, 출판을 위한 문장 검토, 모든 원고와 필사본 관리 등의 임무를 맡은 마리 슈타이너는 후일 〈루돌프 슈타이너 전집〉 발행을 위한 기준 노선을 제시했다. 현재까지 루돌프 슈타이너 유고국이 다소 간의 차이가 있다 해도 그 기준에 따라 약 360여 권의 전집을 발행했다.

루돌프 슈타이너는 시간이 부족해 필사본 중 극소수만 교정할 수 있었다. 그러므로 강연집을 읽는 독자는 "내가 검토하지 않은 필사본에 부정확한 부분이 있으리라" 는 슈타이너의 말을 반드시 염두에 두어야 한다.

_최혜경

어떻게

그리스도를

발견

하는가?

이 지난 주 이 자리에서 고찰한 바와 같이, 인간 영혼은 미래를 향해 나아가면서 정신세계와 협력하도록 노력해야 합니다.* 오늘은 그 주제에 연결해서 그리스도-신비의 체험 양식과 관계하는 여러 가지를 상세히 이야기하고 싶습니다. 그리스도-신비는

* 『천사는 우리의 아스트랄체 속에서 무엇을 하는가?』 1918년 10월 9일, 취리히 강연 (푸른씨앗, 2017)

최근에 언급했던 이상을 통해서, 즉 영적인 이상을 통해서 준비되어야 합니다.

02 정신과학으로 오늘날의 인간을 고찰해 보면,_일단은 한 가지 사항을 전달하는데 그치기는 해도, 강의가 계속되는 동안 좀더 구체적으로 조명될 것입니다_ 그러니까 현재의 정신과학적 방법으로 가능한 만큼 인간을 영혼 생활 안에서 고찰해 보면, 인간의 영혼 생활이 한편으로는 육체의 삶에, 다른 한편으로는 정신의 삶에 연결되어 있는 한, 삼중적 상황이 벌어진다고 말할 수 있습니다. 이는 인간의 영혼 생활은 초감각적 세계에 대해 삼중적 경향을 띤다는 것을 의미합니다. 초감각적 세계를 알아보려는 의향이 전혀 없다면, 그 삼중적 경향 역시 부인해야 할 것입니다. 그 첫 번째로 인간은 보편적 신성이라 부를 수

있는 것을 인식하려는 경향을 지닙니다. 두 번째로 인간은_물론 현재의 발달 주기에 있는 인간에 대해서 말하고 있습니다_그리스도를 인식하려는 경향을 지닙니다. 그리고 세 번째로 인간은 흔히 정신이라 불리는 것, 혹은 성신이라고도 불리는 것을 인식하려는 경향을 지닙니다.

03 여러분도 알다시피, 이 세 가지 경향 모두를 부정하는 사람들이 있습니다. 다름 아니라 바로 19세기가 지나가는 동안 적어도 유럽 문화 안에서는 이 주제가 극단으로 치달았기에 사람들은 세상에서 신성이라면 어쨌든 간에 부정하는 상황을 충분히 체험했습니다.

04 이제 정신과학적으로_여기에서 '거주'라는 표현이 허락된다면, 신은 초감각적 세계에 거주한다고 말할 수 있으며, 그 신은 정신과학에서

절대로 의심될 수 없기 때문에_ 다음과 같은 질문을 할 수 있습니다. "무엇으로 인해 사람들이 삼위일체에서 하느님 아버지라 부르는 존재를 부정하게 되었는가?" 어떤 사람이 하느님 아버지를 부정한다면, 달리 말해서 세상에 있는 신성 자체를 부정한다면, 예를 들어서 어떤 사람이 이스라엘의 종교에서 인정하고 있는 신을 부정한다면, 정신과학은 그 사람에 대해 다음과 같이 말합니다. 그 사람의 육체에 실제로, 정말로 결함이 있다고, 그 사람이 육체적인 질병을 앓고 있다고, 그 사람의 몸에 하자가 있다고. 어떤 사람이 무신론자라면, 정신과학자에게는 그 사람의 몸이 어떤 관계에서든 병들었다는 것을 의미합니다. 물론 의사는 고칠 수 없는 병입니다. 실은 굉장히 많은 의사 자신들이 그 병을 앓고 있습니다. 오늘날의 의학은 그런 것을 병이라고 인정하지 않습니다. 아무리 그래도 그것은 질병입니다. 인간의 영혼 성향이 아니라 체질상 느껴야만 하는 것을 부정하는 사람이 있다면, 정신과학은 그 사람에게서 그 질병을 발견합니다. 신이 세상을 관통하고 있다는 사실을 육체의 건강한 느낌이 사람에게 불어넣어 줍니다. 그런데 그것을 부정하는 사람이 있다면, 그 사람은 정신과학의 개념으로 보아 병을 앓고 있는 것입니다. 육체적으로 병이 든 것입니다.

05 세상에는 그리스도를 부정하는 사람들 역시 아주 많습니다. 정신과학은 인간이 그리스도를 부정하는 상태를 사실상 숙명의 문제인 어떤 것으로서, 인간의 영혼 생활과 관계하는 어떤 것으로서 고찰합니다. 그리스도를 부정한다면, 정신과학은 그

상태를 불행이라 명명할 수 밖에 없습니다. 신을 부정하는 것은 질병입니다. 그리스도를 부정하는 것은 불행입니다. 그리스도를 발견할 수 있다는 것은 특정한 의미에서 숙명에 달린 문제며, 인간의 카르마 속으로 흘러 들어야 하는 어떤 것입니다. 그리스도와 아무런 관계도 지니지 않는 사람은 불행한 사람입니다. 어떤 사람이 정신 혹은 성신을 부정한다면, 그 사람의 정신이 어리석음을 의미합니다. 인간은 신체, 영혼, 정신으로 이루어져 있는데, 이 세 가지 모두와 관련해 결함이 있을 수 있습니다. 신을 부정하는 무신론자에게는 육체적인 질병, 육체적인 결함이 정말로 있습니다. 인생을 살아가는 동안 그리스도를 알아보도록 하는 세계와의 연결고리를 발견하지 못한다 함은 불행을 의미합니다. 정신을, 즉 신성을 자신의 내면에서 발견하지 못하는 사람은 우둔합니다. 달리 말해 그런 사람은 백치입니다. 극히 섬세한 문제라 백치로 보이지 않는다 해도, 그런 사람은 특정한 의미에서 백치입니다.

06 이제 문제는 다음과 같은 질문을 해보아야 한다는 것입니다. "어떻게 인간은 그리스도를 발견할 수 있는가?" 오늘 우리는 이 그리스도의 발견에 대해, 인생 노정에서 인간 자신의 영혼을 통해서 일어날 수 있는 바로 그 발견에 대해 대화를 나누고자 합니다. 정말로 진지하게 찾고 있는 영혼에게서 자주 나오는 질문이 있습니다. "나는 어떻게 그리스도를 발견할 수 있는가?" 충분히 이해가 가는 대답에 이르기를 바란다면, 이 질문을 역사상의 특정 연관성 안에서

고찰해야 합니다. 이제 우리의 영혼 앞에 그 역사상의 연관성을 한 번 열거해 보겠습니다. 그러면 고찰을 하는 동안 결국 "나는 어떻게 그리스도를 발견하는가?"라는 질문의 답에 이르게 될 것입니다.

07 여러분도 잘 알다시피 현재 역사의 시공時空은 정신과학의 측면에서 보아 대략 15세기에 시작되었습니다. 좀 더 가까운 숫자를 제시하자면 서기 1413년이라 할 수 있습니다. 그렇게 정확한 숫자를 일일이 거론하고 싶지 않다면 15세기에 인류의 영혼 생활이 오늘날과 같이 되었다고 말해도 괜찮습니다. 그런데 근대 역사학은 이 사실을 인정하지 않습니다. 그 이유는, 근대에 들어 역사학자들이 그저 외형적인 사건들만 고찰할 뿐 그 외의 것에 대해서는 어떠한

짐작도 하지 못한다는 데에 있습니다. 근대 역사학의 본질은 Fable convenue, 즉 지어낸 이야기를 진실이라 주장하는 데에 있습니다. 그로 인해 15세기 이전으로 거슬러 올라가면 당시 사람들이 우리와는 다르게 생각하고 느꼈다는 것을 짐작조차 하지 못합니다. 그 당시 사람들의 행위는 완전히 다른 자극에서 나왔고, 그들의 영혼 생활은 오늘날 사람들의 영혼 생활과는 철저히, 근본적으로 달랐습니다. 1413년에 마감된 그 주기는 기원전 747년에, 그러니까 기원전 8세기에 시작되었습니다. 정신과학에서 그리스-라틴 문화기라 불리는 그 시대가 기원전 747년부터 서기 1413년까지 이어졌다고 볼 수 있습니다. 잘 알고 있듯이, 그 시대가 대략 3분의 1 정도 지난 시점에 골고다의 신비가 일어났습니다.

08 골고다의 신비는 이후 수백 년의 세월 동안 수많은 사람을 위해 모든 느낌과 사고의 전환점이 되었습니다. 근대 이전, 즉 15, 6 세기 이전의 영혼은 그 골고다의 신비를 주로 느낌으로 파악했습니다. 복음서*가 사람들 간에 널리 읽히기 시작한 건 15세기 이후부터입니다. 그러자 복음서가 역사상 실제로 일어난 사실을 전해 주는 증거 문헌인지에 대한 논쟁이 시작되었습니다. 여러분도 잘 알다시피 그 논쟁은 오늘날 우리 시대에 이르기까지 극단으로 치닫고 있습니다. 이 자리에서 특히 신교 신학에서 아주 큰 역할을 하는 그 논쟁의 소소한 국면을 다룰 의도는 없습니다. 이렇게 골고다의 신비에 대해

* 「신약 성서」에서 예수의 생애와 교훈을 기록한 네 가지 성서, 마태오, 마르코, 루가, 요한의 복음서를 이른다.(편집자 주)

논쟁하면서 사람들이 실제로 원하는 바가 무엇인지, 그에 관해 오늘날 말할 수 있는 것만 우리 영혼 앞에 세워보고자 합니다.

09 물질주의 시대에는 무엇이든 물질주의적 방식으로 증명하려는 것이 습관이 되었습니다. 어떤 사건에 대한 문서를 확보하면, 역사학의 입장에서는 그 사건을 '증명된 것'으로 인정합니다. 서류 뭉치를 발견하면, 그 서류에 기록된 사건을 정말로 일어났던 일이라 여깁니다. 복음서에 그런 증명력이 있다고는 확실히 말할 수 없을 것입니다. 여러분은 제 저서 『신비적 사실로서의 기독교』*를 통해서 복음서가 과연 무엇인지 잘 알고 있습니다. 복음서는

* 『Das Christentumals mystische Tatsache und die Mysterien des Altertums』 (GA 8)

역사상의 증거 서류가 절대 아닙니다.
복음서는 영감을 주는 문헌이고, 입문을
위한 책입니다. 사람들이 예전에는 그것을
실제로 일어난 사건을 기록한 문헌으로
여겼습니다. 이제는 진정한 연구를 통해
복음서는 그런 문헌이 전혀 아니라는 사실을
알게 되었습니다. 그에 더해서 『성서』에서
언급하는 다른 문헌들 역시 역사상의 사건을
다루지 않는다는 사실도 알게 되었습니다.
그리고 유명한 신학자, 격에 맞지 않게도
명망이 드높은 아돌프 하르나크는 최근 성서
연구를 통해서 예수 그리스도라는 인물에
대해 역사상 알려진 사실들을 사절지 한 장에

모두 담을 수 있다는 결론을 내렸습니다.*
그런데 여기에서 옳은 것은 단 한 가지일 뿐입니다. 저는 그것을 완전히 역설적으로 표현하겠습니다. "그 역시 진실이 아니다! 그렇게 사절지에 쓰인 내용에도 역사상의 유효성은 역시 없다!" 유일한 진실은, 골고다의 신비에 대한 유효성을 증명하는 문서는 전혀 존재하지 않는다는 것입니다. 오늘날 역사학자로서 "골고다의 신비를 역사상의 사실로 증명할 수 있는가?"라는 질문을 한다면, 현재의 역사 연구 관점에서는

~

* Adolf von Harnack(1851~1930)_ 독일 신교 신학자이며 교회사가. 저서 『기독교의 본질』 (1901, 라이프치히) 13쪽에 다음과 같이 상술했다. "예수 고지와 활동에 대한 출처는 (사도 바오로에 전해진 몇 가지 중요한 소식을 제외한) 첫 번째 세 복음서다. 이 복음서와는 별도로 우리가 예수의 활동과 예수에 대해 알 수 있는 것들은 그 양이 너무 적어서 별 문제 없이 사절지 한 장에 모두 담을 수 있다."

"그것이 외형적으로는 증명되지 않는다."고 말해야 할 뿐입니다.

10 골고다의 신비가 외형상 증명될 수 없는 데에는 그 나름의 정당한 이유가 있습니다. 골고다의 신비는 외형적-물질주의적 방법이 아니라 신들의 지혜로운 조언이라고 표현될 수 있는 것으로 증명되어야 합니다. 그 이유는 극히 단순합니다. 지상에서 일어난 사건들 중에서 가장 중요한 사건인 골고다의 신비, 그것은 오로지 초감각적 방식으로만 관조될 수 있기 때문에 그렇습니다. 그에 대한 외형적-물질주의적 증명을 찾는 사람은 그것을 발견하지 못합니다. 신중히, 냉철하게 판단한다면, 그런 증명이란 전혀 없다는 결론에 이르게 됩니다. 다른 무엇보다도 바로

골고다의 신비에 있어서 인류는 다음과 같이 고백하려는 결단을 내려야 합니다. "나는 초감각적인 것에서 도움을 구해야 한다. 그렇지 않으면 골고다의 신비 같은 것은 전혀 발견될 수 없다." 말하자면 골고다의 신비는 모든 감각적 증거를 벗어나 부득이하게 초감각적인 것으로 가는 길을 발견하라고 인간 영혼에 강요합니다. 그러므로 자연과학적으로가 아니라 어떤 다른 수단을 동원해도 골고다의 신비는 역사상의 사건으로서 증명될 수 없다는 데에는 나름대로 정당한 이유가 있는 것이지요. 그리고 바로 여기에 새로운 정신과학의 가장 중대한 사안이 놓여 있습니다. 모든 외적인 과학, 즉 감각으로 지각할 수 있는 것만 근거로 삼는 모든 과학은 골고다의 신비에 접근할 입구를 전혀 찾을 수 없다고 고백해야 한다면, 심지어는 신학조차 이 문제를 비판적인 관점에서 다루어서 비기독교적인 색채를 띠게 된다며, 그러면 바로 새로운 정신과학이 인류를 골고다의 신비로 이끌어가는 것이 되어야 합니다. 물론 지금까지 자주 논의해 왔듯이 초감각적인 길을 통해서 그렇게 해야 합니다.

11 이제 우리는 다음과 같은 질문을 해볼 수 있습니다. "후기 아틀란티스 제 4 문화기, 즉 그리스-라틴 문화기에서 골고다의 신비가 일어났을 당시 인류는 어떤 상태에 있었는가?" 그 문화기가 의미하는 바는 다음과 같습니다. 인간은 시간의 흐름과 더불어 발달하며, 그 과정에서 인간 존재의 다양한 지체를 특정한 의미에서 거쳐가도록 되어 있습니다. 기원전 747년에 종결된

이집트-칼데아 시대에 인간은 발달을 통해 감각영혼이라 불리는 지체로 들어서도록 되어 있었습니다. 그리스-라틴 시대에는 오성영혼 혹은 감성영혼으로 인도되었습니다. 1413년 이래로, 즉 우리가 살고 있는 후기 아틀란티스 제 5 문화기에 인간은 이른바 의식영혼으로 들어섰습니다. 그래서 기원전 747년부터 서기 1413년까지 이어진 그리스-라틴 문화기의 본질은, 인류가 오성영혼 혹은 감성영혼을 자유로이 이용하도록_우리가 레싱*의 표현을 인용해도 된다면_ 교육되었다는 데에 있다고 말할 수 있습니다.

12 여기서 서기 몇 년이 제 4 문화기의 반중간에 해당하는지 한 번 알아보기로

* Gotthold Ephraim Lessing(1729~1781)_독일 극작가, 평론가, 계몽사상가

합시다. 골고다의 신비가 일어나기 747년 전에 그 시대가 시작되어서 1413년까지 지속되었습니다. 인간의 오성영혼 혹은 감성영혼의 발달은 그 시대의 중간이 되는 시점까지는 고조되는 형태로, 그 다음부터는 하강하는 형태로 이루어졌다고 가정할 수 있습니다. 그 중간 시점을 별로 어렵지 않게 계산해 낼 수 있습니다. 바로 예수 그리스도 탄생 333주년이 되는 해입니다. 그러므로 그리스-라틴 문화기의 중간 시점에 해당하는 서기 333년은 인류 발달에 있어서 아주 중요한 시점입니다. 이 문화기의 중간 시점에서 333년 전에 골고다의 신비로 삶을 마친 예수 그리스도가 탄생했습니다.

13 그런데 이제 다음과 같이 한 가지 질문을 해 봅시다. "골고다의 신비가 들어서지

않았더라면 과연 무슨 일이 일어났을까?" 이 질문을 하지 않고는 인류의 전반적인 상황을 올바르게 평가할 수 없습니다. 골고다의 신비가 들어서지 않았더라면 과연 무슨 일이 일어났을지 질문할 때에만 우리는 그 신비의 진가를 알아볼 수 있습니다. 물론 골고다의 신비가 일어나지 않았다 해도, 인류는 스스로 지니는 기본적인 힘으로 서기 333년에, 즉 후기 아틀란티스 제 4 문화기의 반중간에 도달했을 것입니다. 인류는 스스로의 힘으로 오성영혼 혹은 감성영혼에 속하는 모든 능력을 계발해냈을 것입니다. 그래서 그 시점 이후 수 세기 동안 그 능력들을 지니게 되었을 것입니다.

14 그런데 골고다의 신비가 들어섰고, 그로써 상황은 본질적으로 달라졌습니다.

골고다의 신비가 들어서지 않았을 경우와는
완전히 다른 것이 발생했습니다. 근본적으로
엄청나게 다른 어떤 것이 일어났습니다.
골고다의 신비는 지구 전체에 의미를
부여하는 아주 특이한 사건입니다. 그
골고다의 신비를 주시할 때에는 다른
무엇보다 한 가지 관점을 가장 중요한 요소로
간주해야 합니다. 골고다의 신비에 이르는
입구는 초감각적일 수 밖에 없다는 것, 오로지
초감각적인 길을 통해서만 골고다의 신비에
이를 수 있다는 것, 바로 이 관점에서 골고다
신비의 성격을 주시해야 합니다.

15 그렇다면 왜 그렇게 해야 합니까? 그
이유는 무엇입니까? 인간은 후기 아틀란티스
네 번째 문화기에서 서기 333년을 향해, 즉
오성영혼 혹은 감성영혼의 전성기를 향해

다가가기는 했어도, 지구 상에서 출생과 죽음 간의 삶에서 생기는 평범한 힘으로는 골고다 신비의 본질을 이해할 수 없는 상태에 있었다는 것이 그 이유입니다. 출생과 죽음 간에 육체가 발달하고, 그 결과로 우리 내면에 일정한 힘이 생겨납니다. 우리는 그 힘으로 발달할 수 있고, 호호백발이 될 만큼 나이를 먹을 수는 있습니다. 그런데 그 힘으로는 골고다의 신비를 절대로 파악할 수 없습니다. 바로 이것이 요점입니다.

16 바로 그런 연유에서, 그리스도를 경모했던 동시대인들, 특히 그리스도의 제자들, 그리스도를 추앙하고 따랐던 사도들이 예수 그리스도와 더불어 무슨 일이 일어나고 있는지를 이해해야 했기 때문에 이미 자주 언급했듯이 그들에게 특정한

의미에서 환원적 형안이 허락되었습니다. 그 환원적 형안을 통해서 자신들과 함께 돌아다니던 자가 과연 누구인지 짐작할 수 있었습니다. 그들이 인간으로서 지녔던 힘으로는 그렇게 할 수 없었습니다. 바로 그들이 고대 신비주의 문헌들을 도움삼아 복음서를 썼습니다. 그 위대한 복음서 역시 환원적 형안력에서 나왔지, 그 당시까지 인류에 보통으로 발달된 힘으로는 쓰이지 않았습니다. 복음서는 인간이 지니는 자연스러운 힘에서 나오지 않았다는 말이지요.

17 그런데 인간의 영혼은 죽음의 문을 통과한 후에도 계속해서 발달합니다. 죽음의 문을 통과한 후에도 그렇게 계속 발달하고 성장하면서 더 큰 이해력을 얻습니다. 더욱더

많이 이해하도록 계속해서 배웁니다.

18 여기에서 한 가지 특이한 점을 주시해야 합니다. 죽은 뒤에도 그리스도 안에서 살기 위해 이 세상에서 그리스도를 향한 사랑으로 준비했던 그리스도의 동시대인들, 그들이 인간으로서 지녔던 힘으로는 골고다의 신비가 일어나고 300년이 지나서야 비로소 그 신비를 완전히 이해할 수 있게 되었다는 사실입니다. 그리스도의 추종자와 사도로서 그리스도와 함께 살았던 이들은 이 세상을 떠난 후 정신세계에서 살았습니다. 정신세계에서 사는 동안 그들의 힘이 점점 더 커졌습니다. 이 세상에서 능력이 커지는 바와 똑같이 말입니다. 우리가 이 세상에서 사망하는 시점에 지니는 이해력은, 죽은 다음 정신세계에서 200년을 보낸 후에 지니는 이해력 만큼 뛰어나지 않습니다.

그리스도의 동시대인들은 이 세상에서 죽은 후 정신세계에서 2, 3백 년을 보낸 후에야, 그러니까 이 세상에 3세기가 다가왔을 무렵에야 2, 3백 년 전에 지구 상에서 했던 체험을 그들 스스로의 힘으로 이해하기 시작할 수 있을 정도로 발달했습니다. 그런 다음에 정신세계에서 여기 아래의 지상에 살고 있는 사람들에게 영감을 내려 보냈습니다.

19 그 영감이 올바른 의미에서 내려오기 시작한 서기 2, 3백 년 경에 이른바 가톨릭 교부敎父들이 썼던 것들을 이 관점에서 한 번 읽어 보십시오. 그러면 예수 그리스도에 관한 그 교부들의 저술을 어떤 방식으로 이해해야 할지 알게 됩니다. 예수 그리스도의 동시대인들이 죽은 후 정신세계에서 영감을

통해 내려 보낸 것, 그것을 3세기의 사람들이 써내리기 시작했습니다. 3세기의 사람들은 예수 그리스도를 아주 기이한 문체로 서술합니다. 특히 오늘날 사람들은 _오늘날 사람들에 대해서는 조금 후에 이야기하겠습니다_ 실로 이해하기 어려운 문체입니다.

20 그 중 한 사람을 예로 들겠습니다. 다른 사람을 예로 들 수도 있겠지만, 현재의 물질주의적 문화가 아주 경멸스럽게 여기는 한 인물을 여러분께 소개하고 싶습니다. 오늘날 물질주의적 문화는 그 사람이 "Credo quia absurdum est. 나는 믿는다, 불합리하기 때문에*"라는 말을 했다고 하면서 끔찍스러워 합니다. 바로 터툴리안입니다. 이제 여러분께

~

* Tertullian(약 155년 ~ 약 225년)_가톨릭 저술가. 기독교를 변증하는 『호교학Apologeticum』에 나오는 문장이다.

그 터툴리안을 소개하겠습니다.

21 예수 그리스도의 동시대인들이 죽은 뒤 저 세상에서 영감을 내려 보내기 시작한 시대에 터툴리안은 이 세상에 살았습니다. 그래서 그는 인간으로서 가능한 만큼 그 영감의 영향 아래에 있었습니다. 터툴리안의 저술을 정독하면, 아주 기이한 인상을 받습니다. 물론 그는 인간으로서 특정 체질을 가지고 있었고, 그 체질이 허락하는 만큼만 서술할 수 있었습니다. 사람이 훌륭한 영감을 받을 수는 있습니다. 그러나 그 표현은, 영감을 받은 당사자의 감수성에 달려 있습니다. 그러다 보니 터툴리안 역시 그 영감을 받은 그대로 순수하게 표현하지는 못했습니다. 우선은 그가 죽음을 피할 수 없는 육체 속에서 살았고, 두 번째로는

특정 시각에서 보아 그의 성격이 열렬하고
광신적이었기 때문에, 그가 인간으로서
지닌 두뇌로 가능했던 만큼만 표현했습니다.
어쨌든 그에게 가능했던 만큼 쓰여지기는
했어도, 진실하고 올바른 관점에서 고찰해
보면 그야말로 기이한 물건이 나왔습니다.

22 터툴리안은 문학적 소양이라고는
전혀 쌓지 않은 로마인이었는데 이
관점에서는 걸출한 언어 능력을 지닌
작가로 다가옵니다. "터툴리안은 라틴어를
기독교에 필적하도록 만든 최초의 인물이다."
라고 말할 수 있을 정도입니다. 그는 가장
산문적인 언어, 가장 정취 없는 언어,
순수하게 수사학적 언어인 라틴어를 뜨거운
기질로, 신성하기 그지없는 열정으로 붉게
달굴 가능성을 처음으로 발견한 사람입니다.

그래서 터툴리안의 저서들, 그 중에서도 특히 『De Carne Christi』를 비롯해 그리스도에게 죄를 뒤집어씌우는 모든 것을 거부하기 위한 의도로 썼던 책에도 역시 직접적인 영혼의 삶이 진정으로 들어있습니다. 그 책들은 신성한 열정으로, 그리고 위대한 언어의 힘으로 저술되었습니다. 그리고 터툴리안은 로마인이지만 _『De Carne Christi』에서 알아볼 수 있습니다_ 자신의 로마 문화를 편견없이 대했습니다. 그는 수려한 언어를 발견했고, 그것으로 로마인들의 박해에 대항해서 그리스도를 변증했습니다. 터툴리안은, 예수 그리스도에 대한 믿음을 부정하도록 강요하면서 기독교인들에 가했던 박해를 격렬하게 비난했습니다.

"재판관으로서 기독교인들에게 너희들이 저지르는 부당함은 너희들의 행위를 통해 이미 충분히 증명되지 않았느냐? 너희는 평소에 하는 재판 과정을 바꾸었음에 틀림없다. 왜 기독교인들을 겨냥해서는 그 평상시의 재판 과정을 적용하지 않는가? 너희가 범죄인을 가혹하게 다루는 이유는 그가 거짓말을 하지 않도록 하기 위해서다. 너희는 범죄인에게 진실을 말하라고, 정말로 의도하는 바를 자백하라고 강요한다. 그런데 기독교인에게는 그 반대가 되는 태도를 취한다. 너희는 기독교인을 고문하면서, 그가 정말로 의도하는 것을 부정하라고 강요한다. 너희는 판사로서 보통 하는 바와는 정반대가 되는 행위를 기독교인들에게 한다. 너희는 고문과 학대를 통해 진실을 알아내려고 한다. 그런데 기독교인들에게는 그와 반대로 진실을 부정하라고, 거짓을 말하라고 요구한다." 터툴리안은 이와 유사한 방식으로 다른 여러 가지에 대해서도 정곡을 찌르는 말을 했습니다.

23 터툴리안은 용감하고 혈기에 찬 남성이었다고 말할 수 있습니다. 그는 로마 제신 숭배의 공허함을 직시했고, 그것을 거침없이 표현했습니다. 또한 모든 저술물에서 자신의 초감각적 세계에 대한 관계를 증명한 사람이었습니다. 터툴리안은 초감각적 세계에 관해 말한다는 것이 무엇을 의미하는지 아는 사람이었습니다. 그는 정령에 대해서도 흡사 자신이 잘 알고 있는 사람에 대해 이야기하듯이 서술했습니다. 예를 들자면 다음과 같이 말한 적도 있습니다. "기독교인들이 진정한 신이라 주장하는 그리스도, 그 그리스도가 정말로 진정한 신인지 아닌지를 정령들에게

물어보라! 정령에 사로잡힌 사람과 진정한 기독교인을 한 번 대질해 보라. 그러면 너희가 알아보리라. 정령이 말을 하도록 할 수만 있다면, 그 사람 속에 들어 있는 정령이 스스로 정령이라 자백할 것이다. 왜냐하면 정령은 진실만 말할 수 있기 때문이다.
정령에게 물어보면 결코 거짓말을 하지 않는다는 사실을 터툴리안은 알고 있었습니다 기독교인이 완전한 의식을 가지고 정령에게 완곡히 물어보면, 그리스도가 진정한 신임을 너희에게 역시 말할 것이다. 기독교인이 정령을 극복하려 하기 때문에 정령은 그들을 증오한다. 그래도 정령은 그리스도가 진정한 신이라는 사실을 너희들에게 자백할 것이다." 말하자면 터툴리안은 인간의 증언 뿐 아니라 정령의 증언까지 끌어댑니다. 터툴리안은, 정령이 그저 말만 하는 존재가 아니라, 그리스도가

진정한 신이라고 자백하는 증인이라고 했습니다. 그는 이 모든 것을 자신의 내면으로부터 말합니다.

24 저술가로서의 터툴리안을 알게되면 정말로 다음과 같은 질문을 할 만한 충분한 이유가 생깁니다. "그렇다면, 방금 설명한 그 터툴리안, 영감에 사로잡힌 그 터툴리안의 깊은 영혼 고백이란 과연 무엇인가?" 터툴리안의 깊은 영혼 고백은 실로 교훈적입니다. 왜냐하면 터툴리안은 인류를 위해서는 사실 그의 시대로부터 오랜 세월이 지난 뒤에야 드러나야 할 어떤 것을 이미 그 당시에 예감했기 때문입니다. 터툴리안은 근본적으로 보아 인간의 천성에 관해 세 가지 원칙을 신봉했습니다. 그 첫 번째는, 인간의 천성이 그러하기를 현재에는_터툴리안이 살았던

그 당시, 기원후 2세기 말 경입니다_ 지상에서 일어난 가장 위대한 사건을 부정하는 오명을 스스로 걸머질 수 있으며, 인간이 오직 자신만을 따른다면 그 위대한 사건에 이르지 못한다는 것입니다. 두 번째는, 지상에서 일어난 가장 위대한 사건을 이해하기에는 인간 영혼이 너무 허약하다는 것이고, 세 번째는, 죽으면 썩어 없어질 육체가 제공하는 것만 따른다면 골고다의 신비에 대한 관계를 얻기란 완전히 불가능하다는 것입니다.

25 이 세 가지가 터툴리안이 했던 신앙 고백의 근사치입니다. 이 세 가지 원칙에서 터툴리안의 말이 나옵니다. "신의 아들이 십자가에 못박혔으니; 치욕스러운 일이나, 또한 치욕이 전혀 아니로다. 게다가 그는 그렇게 죽음을 맞이했으니; 어처구니 없이

어리석은 일이라 바로 그래서 믿는 수 밖에 없도다." "Prorsus credibile est, quia ineptum est.어처구니 없이 어리석인 일이라 바로 그래서 믿는 수 밖에 없도다." 이것이 바로 터툴리안이 쓴 문장입니다. "Credo, quia absurdum est.나는 믿는다, 불합리하기 때문에."라는 문장을 터툴리안이 썼다고들 하는데 실은 그렇지 않습니다. 터툴리안도, 어떤 다른 교부도 그런 문장을 쓰지 않았습니다. 터툴리안은, 방금 이야기한 바로 그 문장을 썼습니다. 오늘날 대부분의 사람이 그 틀린 문장을 터툴리안이 썼다고 믿습니다. 세 번째로 터툴리안은 다음과 같이 썼습니다. "신의 아들이 무덤에서 부활했으니; 그런 것은 불가능하도다, 또한 불가능하기 때문에 우리는 믿어야 하지 않겠는가."

26 터툴리안이 했던 이 세 가지 고백은 현대를 살아가는 아주 영리한 사람들에게는 끔찍하게 들립니다. 오늘날의 물질주의적 교육을 받은 진짜 식자를 한 번 상상해 보기만 하면 됩니다. 누군가가 다음과 같이 하는 말을 그 식자가 듣습니다. "예수 그리스도가 십자가에 못박혔다; 치욕스러운 일이다. 우리는 그렇다고 그저 믿어야만 한다. 그리스도가 죽었다; 어처구니 없이 어리석은 일이다. 우리는 그렇다고 그저 믿어야만 한다. 그리스도가 진정으로 부활했다; 불가능한 일이다. 우리는 그렇다고 그저 믿어야만 한다." 오늘날 정말 제대로 일원주의적 세계관의 소유자가 그런 문장에 대해 어떤 관계를 얻을 수 있을는지 한 번 상상해 보십시오!

27 터툴리안이 의도한 바는 과연 무엇이었습니까? 터툴리안은 그 시대를 위한 영감을 통해 인간을 제대로 알아보는 사람이 되었습니다. 당대의 인간 본질이 어떤 경로에 서 있는지를 알아보았습니다. 당시 인류는 후기 아틀란티스 네 번째 문화기인 그리스-로마 문화기에서 다가오는 수백 년을 맞이하고 있었습니다. 그 문화기가 중간 시점에 이르기 333년 전에 골고다의 신비가 일어났습니다. 그 문화기의 중간 시점에서 바로 그 만큼의 햇수가 지난 뒤, 즉 333년이 지난 뒤에 특정한 정신 세력 쪽에서 지상의 발달을 완전히 다른 길로 이끌어가려는 시도가 있었습니다. 그 이전에 골고다의 신비가 이미 일어났기 때문에 인류가 그 길로 인도되지 않았을 뿐입니다. 서기 333년에서 333년 후는 서기 666년입니다. 이

숫자는 계시록_묵시록_의 저자가 격렬한 어조로 표현했던 바로 그 해를 가리킵니다. 계시록의 저자가 말하는 바로 그 해당 부분*을 읽어보십시오. 무엇이 서기 666년과 연관되어 있는지! 그 해에 특정한 정신 세력들의 의도에 따라 인류에 무엇인가가 일어나야만 했습니다. 골고다의 신비가 들어서지 않았더라면 그 사건은 일어났을 것입니다. 오성영혼 문화 혹은 감성영혼 문화가 절정에 이른 서기 333년을 기점으로 삼아 그 문화기의 인류는 하강의 길을 갈수도 있었습니다. 태초부터, 그러니까 옛 토성 시대부터 인류와 연결되어 있던 신적 존재들의 의향에 따른 길과는 완전히 다른 항로로 인류를 이끌어가기 위해 그 하강의 길이 이용되었을 것입니다. 그 사건은,

* 요한의 묵시록 제 13장

먼 미래에나 인류에 들어서야 할 것을, 달리 말해서 의식영혼을, 그 모든 내용을 포괄해서 일종의 현시를 통해 이미 서기 666년에 인류에 부여함으로써 일어나도록 되어 있었습니다. 일이 그렇게 되었더라면, 달리 말해서 인류 발달을 적대시하는 존재들, 인류 발달을 자기 편으로 떼어내서 소유하기를 원하는 특정 존재들, 그 존재들의 의도가 정말로 이루어졌더라면, 그러면 현재의 우리 시대보다 더 오랜 세월이 지난 후에야 완숙될 의식영혼을 인류는 기대치 않게 이미 666년에 얻게 되어서 소스라치게 놀랐을 것입니다.

28 인류를 사랑하는 신들에 적대적인 존재들이 항상 지니는 의도는, 인간에 유익한 정신적 존재들이 나중에 이루고자 하는 것을 인간이 아직 성숙되지 않은 시점에, 인류에게

너무 이른 시점에 일어나도록 하려는 데에 있습니다. 현재 우리가 살고 있는 문화기의 중간 시점이 되어야 비로소 일어나야 할 것을, 달리 말해서 서기 1413년에서 1080년이 지난 후인 서기 2493년에 일어나야 할 것을 _인류는 그 시점이 되어야 충분히 발달되어서 자신의 인성을 완전히 의식적으로 파악할 수 있게 됩니다_ 아리만과 루시퍼 세력은 이미 서기 666년에 인류에 부여하고 싶어 했다는 것이지요.

29 그렇게 함으로써 그런 존재들 측에서는 무엇을 이루고 싶어했을까요? 그 존재들은 당시에 앞당겨서 인간에 의식영혼을 부여하고자 했습니다. 그런데 그렇게 함으로써 인간에 한 가지 본질을 주입했을 것입니다. 그렇게 주입된 본질로 인해서 인간은 정신자아, 생명정신,

정신인간으로 이르는 머나먼 길을 더이상
발견하지 못하게 되었을 것입니다. 미래를
향한 인간의 길이 잘려나가고 말았을
것입니다. 그리고 인간은 완전히 다른 발달
경로로 들어서게 되었을 것입니다.

30 역사상의 사건은 그 정신 세력들이
의도한 그 특이한 형상으로, 불가사의하고
걸출하지만 악마같은 형상으로 일어나지는
않았습니다. 하지만 그 잔재는 역사 속에서
실현되었습니다. "사람들이 지구 상에서
그 잔재를 따라가는데, 특정 정신 존재들이
인간을 통해 이루려는 것을 위한 충견이
됨으로써 그렇게 한다."라고 말할 수 있는
식으로 지구 상에서 실현되었습니다. 그리스
문화의 고귀한 지혜에서 나온 모든 것을

혐오한 유스티니아누스 황제*가 바로 그 특정 존재들의 충견 중에 하나입니다. 그는 서기 529년에 아테네 학당을 철폐하고 그리스의 정신적 스승들 중 마지막으로 남아 있던 이들을 추방했습니다. 당시 학자들은 위대한 아리스토텔레스-플라톤 학문과 더불어 페르시아로 도피해야 했습니다. 이미 5세기에 제노 이사우리쿠스 황제**가 그런 그리스 현자들을 에데사로 추방했고, 그 이전에도 시리아의 현자들이 니시비스로 도피해야 했습니다. 그래서 서기 666년이 다가올 무렵에는 페르시아의 군데샤푸르 학당에 가장 정선된 학문이 집중되었습니다. 그 학문은 고대 그리스 문화에서 넘어왔던 바

* Justinian (483~565)_비잔틴 제국의 황제

** Zeno Isauricus_474년~491년까지 로마 황제. 489년에 에데사 학당을 칙령을 통해 폐쇄했다.

골고다의 신비를 전혀 참작하지 않았습니다. 그리고 루시퍼와 아리만 세력으로부터 영감을 받은 이들이 바로 그 군데샤푸르 학당에서 가르쳤습니다.

31 서기 666년에 그 일이 인류를 덮쳤더라면_미래의 발달을 앞으로 당겨서 서기 666년에 인류를 의식영혼으로 고취시켰더라면_ 달리 말해 군데샤푸르 학당을 통한 의도가 성공적으로 이루어졌더라면, 그러면 그 학당의 드높은 학식을 통해서 이미 7 세기에 여기저기, 사방에 극도로 천재적인 사람들이 생겨났을 것입니다. 그리고 그들이 서아시아, 북아프리카, 남유럽, 심지어는 유럽 전체에 군데샤푸르 학당을 통해 의도되었던 문화를 확산시켰을 것입니다. 그 문화가 무엇보다도 인간을 완전히 자신에게만 의지하도록

만들었을 것입니다. 인류가 당시에 이미 전적으로 의식영혼에 이르러야 했을 것입니다.

32 세계가 이미 다른 모양을 띠고 있었기에 그런 일은 일어날 수 없었습니다. 바로 그래서 군데샤푸르 학당을 중심으로 서양 문화를 바꾸었을 그 타격이 전반적으로 약화되었습니다. 오늘날 우리가 외부세계에서 배우는 모든 학문을 아주 하잘것없어 보이게 할 정도로 엄청난 지혜는 나오지 않았습니다. 인간이 자연 과학적 실험을 통해서 서기 2493년까지 차츰차츰 정복해야 할 모든 것과 고귀하고 위대한 학식에서 나오는 모든 것을 훨씬 더 능가하는 지혜가 그 영적인 방식의 영감을 통해서 생겨나지 않았다는 말입니다. 그 대신에 그 잔재만 한때 아랍

학자들이 스페인으로 전파한 것에 남아 있을 뿐입니다. 그런데 그 조차 이미 무딘 상태에 있었습니다. 애초에 지향한 대로가 아니라 둔화된 상태가 되었습니다. 그리고 바로 그 자리에 이슬람교가 들어섰습니다. 그 자리에 무함마드가 자신의 가르침을 가지고 들어섰습니다. 군데샤푸르 학당을 중심으로 해서 나와야 할 것 대신에 이슬람교가 생겨났습니다. 골고다의 신비가 이미 일어났기 때문에 세계가 파멸로 향하는 그 길을 피할 수 있었습니다.

33 그런데 세상이 그 방향으로 들어서지 않은 이유는, 그 이전에 골고다의 신비가 일어났다는 그 사실 때문만은 아닙니다. 골고다의 신비가 인간의 평범한 능력으로는 죽을 때까지 이해할 수 없는 사건으로서

일어났기 때문에 그 길을 피할 수 있었습니다.
그로 인해 서양 인류 안에, 조금 전에
이야기한 바로 그것이 생겨났습니다. 죽은
이들로부터 영감이 흘러든 것입니다. 우리는
그것을 터툴리안이나 다른 여러 인물에게서
알아볼 수 있습니다. 그렇게 됨으로써
인간의 감각이 골고다의 신비를 향하게
되었고, 그로써 인류가 군데샤푸르 학당에서
나왔어야 할 것과는 완전히 다른 무엇인가를
바라보게 되었습니다. 그렇게 됨으로써
군데샤푸르 학당을 통해 의도되었던 지혜,
고차적이기는 해도 악마적인 그 지혜를
저지하는 것이 확산되었습니다. 그런 지혜의
확산이 저지된 이유는 인류의 안녕을
위해서였습니다. 죽은 이들로부터 흘러든
영감을 통해 생긴 많은 것이 불완전한
상태로 드러났습니다. 그럼에도 불구하고

군데샤푸르 학당이 그 경향과 더불어 행운의 여신을 자신들 편에 두었더라면 인류가 영혼에 수용하고 결국 참고 견뎌야만 했을 것은 다행히 실현되지 않았습니다.

34 군데샤푸르 학당을 통해 의도된 바와 같은 사건들은 특정한 의미에서 외적인 세계 발달의 배후, 즉 초감각의 차원에서 진행됩니다. 인류가 관계하기는 해도, 그런 사건들은 완전히 초감각의 차원에서 일어납니다. 그래서 군데샤푸르 학당을 통해 의도된 사건이나 골고다 사건은 물체의 차원에서 일어나는 것을 기준으로 해서는 판단할 수 없습니다. 우리가 그런 사건들을 성격화하려면, 인간이 보통 상상할 수 있는 것보다 훨씬 더 통렬하게 깊은 곳에서 찾아야만 합니다.

35 당시에 일어나야 했지만 약화된 그 사건의 흔적이 인류에 약간은 남아 있습니다. 그 거창한 어떤 것에서 현실과는 동떨어진 이슬람교가 탄생했습니다. 인류에 무엇인가가 일어나기는 했습니다. 그 당시 군데샤푸르 학당의 영향을 받은 인류, 적절치 않은 시기에 '자라투스트라-자극'을 다시금 가져온 신新페르시아 자극의 영향을 받은 인류, 그 인류가, 통속적으로 표현해도 된다면 "육체성에 이르기까지 내적인 장애를 얻게 되었다"라고 말할 수 있는 것이 일어났습니다. 당시에 인류는 육체적 본질 속으로 깊이 파고드는 자극을 얻었습니다. 그 이후로 지금까지 우리는 바로 그 육체적 본질을 가지고 태어납니다. 그 자극은, 증세가 깊어지면 하느님 아버지를 부정하게 되는 바로 그 질병으로 인류에 주입되었습니다.

36 여러분은 제 말을 올바르게 이해해야 합니다. 문명화된 인류는 오늘날 육체 속에 독침을 가지고 태어납니다. 성 바오로는 그 독침에 대해 아주 많은 것을 예언적으로 말했습니다. 그는 특별히 진보된 인간으로서 이미 당대에 그것을 지니고 있었습니다. 다른 사람들의 몸에는 7세기가 되어서야 비로소 생겼습니다. 그런데 이 독침은 점점 더 널리 퍼지고, 더욱 더 의미심장하게 될 것입니다. 오늘날 여러분이 그 독침에, 그 질병에 자신을 완전히 내맡기는 사람을 만난다면_그 독침은 오늘날 사람들의 몸 속에 들어 있고, 정말로 병이기 때문입니다_ 그는 무신론자일 것입니다. 그는 신을 부정하는자, 신성을 부정하는 자일 것입니다. 현대 문명에 속하는 사람이라면 사실 누구나 그 무신론주의적 성향을 지니고 있습니다. 문제는 그 성향에 얼마나 푹 빠져

있는가일 뿐입니다. 인간이 자신의 본질을 따른다면 사실 신성을 인정하도록 되어 있습니다. 그런데 태어날 때부터 인간 속에 들어 있는 그 독침이 신성을 부정하도록 부추깁니다. 당시에 인간 본질이 특정한 의미에서 광물화된 것입니다. 발달 과정에서 거꾸로 돌려지면서 우리 모두 신성 부정증神性 否定症을 앓게 되었습니다.

37 그 신성 부정증이 인간 내면에 적잖은 영향을 미칩니다. 신성 부정증으로 인해 인간의 영혼과 육체 간에 예전에 그랬던 것보다, 그리고 인간 본질 자체에 실제로 내재하는 것보다 더 강한 인력의 밧줄이 생겨나게 되었습니다. 영혼이 육체에 이전보다 훨씬 더 강하게 얽매이게 되었다는 의미입니다. 영혼은 사실 그 자체의 본질로

인해 육체의 숙명에 관여하도록 규정되어 있지 않습니다. 그런데 그 강해진 인력의 밧줄 때문에 육체의 숙명에, 그리고 출생과 유전, 죽음의 숙명에 점점 더 깊은 관계를 지니게 되었습니다.

38 당시 군데샤푸르의 현자들이 원했던 바는_ 우리 시대에 몇몇 비밀 결사단이 좀 어설픈 형태로 다시금 추구하기도 합니다_ 다름 아니라 인간을 이 지구를 위해 아주 고귀하게, 아주 지혜롭게 만들려는 것이었습니다. 지혜를 주입함으로써 인간의 영혼이 죽음에 관여하도록 만드는 것이었습니다. 그래서 죽음의 문을 통과한 뒤의 정신적인 삶과 그에 잇따르는 지상의 삶에 참여하려는 성향이 인간에게서 사라지도록 하는 것이었습니다. 한 생을 넘어서 계속되어야 하는 발달을

인간에게서 잘라내고자 했습니다. 그들은 완전히 다른 세계를 위해 인간을 자신들의 손아귀에 넣으려 했습니다. 인간이 지구 상에 존재하는 목적에 이르지 못하도록, 달리 말해서 인간이 완만하고 점차적인 발달을 거치면서 배움으로써 정신자아, 생명정신, 정신인간에 도달해야 하는 데, 그렇게 할 수 없도록 인간을 지상의 삶 그 자체에 저장하고 싶어했습니다.

39 인간 영혼이 예정되었던 만큼 보다 더 많이 지구를 알게 되었을 것입니다. 오직 육체를 위해서만 예정되어 있던 죽음이 특정한 의미에서 영혼의 숙명이 되었을 것입니다. 바로 그 숙명이 골고다의 신비를 통해 상쇄되었습니다. 그래서 비록 인간이 죽음과 유사해지기는 했지만, 골고다의

신비를 통해서 그 죽음과의 유사성으로부터 구제되었습니다. 한편으로는 세계 발달 안의 특정 흐름이 인간 육체에 대한 영혼의 유사성을 인간에 규정되었던 만큼 보다 더 강하게 만들었다면, 다른 한편으로는 그리스도가 저울의 균형을 잡기 위해서 예정되었던 만큼 보다 더 강하게 영혼을 정신에 연결했습니다. 골고다의 신비를 통해서 인간 영혼이 예정되었던 만큼 보다 더 가까이 정신으로 인도되었다는 의미입니다.

40. 우리는 이 사실에서, 어떻게 골고다의 신비가 수천 년 동안 인간 본질의 가장 내적인 힘과 연결되어 왔는지를 올바르게 투시할 수 있게 됩니다. 역사 안에서 골고다의 신비에 올바르게 접근하고자 한다면, 아리만과 루시퍼에 의해 인간에 규정된 상호 관계, 즉

신체와 영혼 간의 상호 관계를 영혼과 정신 간의 상호 관계와 비교할 수 있어야 합니다.

41 군데샤푸르 학당의 자극에서 나온 잔재 속에 깊이 박혀 있던 가톨릭 교회는 서기 869년 콘스탄티노플에서 개최된 제 8차 공의회에서 인간이 정신을 믿어서는 안된다고 독단적으로 규정합니다. 교회는 골고다의 신비를 조금이라도 해명하려 노력하기 보다는 어둠의 장막 뒤에 숨겨 두고 싶어했기 때문입니다. 서기 869년에 정신이 가톨릭 교회에 의해 폐지되었습니다. 그 당시에 결정된 도그마를 따르면, 인간은 정신을 믿어서는 안 됩니다. 오직 영혼과 신체만 믿어야 하고, 영혼이 그 자체 안에 정신적인 종류의 어떤 것을 지니고 있을 뿐입니다. 인간은 실제로는 신체, 영혼,

정신으로 이루어져 있다는 사실이 가톨릭 교회에 의해 폐지되었습니다. 정신의 폐지가 군데샤푸르 자극의 직접적인 영향 아래 가톨릭 교회 안에서 이루어졌습니다. 그러나 지도자의 위치에 있고 싶어하는 사람들이 역사를 아전인수 격으로 이용하기 위해 이러저러한 측면에서 자주 반죽하기는 해도, 역사는 결국 그들이 원하는 바와는 다른 모양을 띱니다.

42 인간은 골고다의 신비를 통해서 정신과 유사하게 되었습니다. 그로써 인간 내면에 두 가지 힘이 존재하게 되었습니다. 인간을 영적으로 죽음과 유사하게 만드는 힘, 그리고 인간을 죽음으로부터 다시금 해방시켜서 내적으로 정신에 인도하는 힘.

43 인간을 영적으로 죽음과 유사하게

만드는 힘, 그 힘은 과연 어떤 종류입니까?
여러분께 이미 이야기했습니다. 인간 내면에
신을 부정하는 요소로 존재하는 일종의
질병입니다. 그 성향은, 문명화된 인류 안에
사는 우리 모두가 순수한 육체적 결과로서
지니고 있는 일종의 질병입니다. 정신과학은
무신론을 질병이라고 단언합니다. 그런데
그 질병은 우리 안에 들어 있습니다.
우리가 스스로를 올바르게 이해하자면,
우리는 사실 신을 부정할 수 밖에 없습니다.
우리가 그리스도를 통해서 다시금 신을
발견하면, 그러면 비로소 신을 부정하지 않게
됩니다. 우리의 육체 속에 신을 부정하도록
만드는 질병의 힘이 있습니다. 이미 자주
이야기했듯이 그리스도의 힘을 우리 안에
지니면, 골고다의 신비를 통해 생겨난
건강하게 만드는 힘, 치유하는 힘 역시

지닐 수 있습니다. 그리스도야 말로 우리 모두를 위한, 단어의 진정한 의미 그대로 구세주입니다. 인간을 무신론자로 만드는 질병을 치료하는 의사. 그리스도는 그런 힘을 물리치는 의사입니다. 위에서 성격화한 그 숨은 질병을 치료하는 의사가 바로 그리스도입니다.

44　여러모로 보아 우리 시대는, 부분적으로는 골고다의 신비를 통해, 부분적으로는 서기 333년에 일어났던 사건들을 통해, 부분적으로는 서기 666년에 일어났던 사건들을 통해 생겨난 시대의 갱신입니다. 이것은 아주 특정한 효과를 보입니다. "인간은 죽을 때까지 육체적으로 육체 속에서 살기 때문에 인간에 주어진 힘들만으로는 골고다의 신비를 절대로

파악할 수 없다" 바로 이 점을 분명히 할 때에만 골고다의 신비를 이해할 수 있습니다. 사도들의 동시대인들 조차 죽은 뒤 많은 세월이 흘러 3세기가 되어서야 비로소 인간으로서 그들 자신의 힘으로 골고다의 신비를 파악할 수 있게 되었습니다. 그리고 그 모든 것이 발달 속으로 흘러듭니다. 이 모든 것을 통해서 적잖은 것이 일어납니다. 그 중에는 다음과 같은 것도 있습니다.

45 오늘날 우리는 그리스도의 동시대인들, 혹은 그 이후부터 7세기에 이르기까지 살았던 사람들과는 완전히 다른 상태에 있습니다. 우리는 이미 후기 아틀란티스 제 5 문화기에 살고 있으며, 아주 깊숙이 그 문화기 속에 들어앉아 있습니다. 20세기에 살고 있는 우리는 영혼으로서

초감각 세계를 벗어나 감각 세계로
태어납니다. 결론부터 말하자면, 우리는 수백
년 전에 정신세계에서 어떤 것을 체험합니다.
골고다의 신비가 일어났던 시대에 살았던
사람들은 수백 년이 지난 후에야 그 신비를
완전히 이해할 수 있게 되었고 오늘날 우리는
그와 유사한 일종의 거울 형상을 체험합니다.
우리는 태어나기 전에, 실로 태어나기 수백
년 전에 그것을 체험합니다. 그런데 이것은
오늘날의 사람들에게만 해당합니다. 오늘날의
사람들은 모두 골고다 신비의 잔영같은
어떤 것을 지니고 물체 세계로 태어납니다.
골고다의 신비가 일어난 당대의 사람들이
수백 년이 지난 뒤 정신세계에서 체험했던 것,
우리는 그 체험의 거울 형상같은 어떤 것을
내면에 지니고 있습니다.

46 물론 초감각적인 것을 관조할 수 없는 사람은 이 자극 역시 직접적으로 관조할 수 없습니다. 그래도 모두들 이 자극의 효과를 내면에서 체험할 수 있습니다. 그리고 사람들이 그것을 체험하면 다음과 같은 질문의 답을 발견합니다. "내가 과연 어떻게 그리스도를 발견할 수 있는가?"

47 그렇게 하기 위해서는 반드시 다음과 같은 체험을 해야 합니다. 다음과 같은 체험을 하면 그리스도를 발견합니다. 첫 번째로는 "인간으로서 내가 할 수 있는 만큼 보다, 내 개인적인 인간 본질에 따라 가능한 만큼 보다 훨씬 더 깊이 자아 인식을 추구하고 싶다."라고 말하게 되는 체험입니다. 아주 솔직하게 그 자아 인식을 추구하는 사람이라면 오늘날의 인간으로서도

"내가 실제로 추구하는 것에 절대로 이를 수 없다. 나의 이해력으로는 내가 추구하는 것에 절대 도달할 수 없다. 내 추구에 있어서 나는 무기력하다."라고만 말하게 됩니다. 그 외에 다른 것은 말할 수 없습니다. 이 체험은 실로 극히 중대합니다. 자아 인식에 있어서 스스로에게 한 점 거짓없이 심사숙고하는 사람이라면 누구나 이런 체험을 할 수 밖에 없습니다. 특정한 의미에서 무기력함, 그 무기력은 건강한 현상입니다. 그 무기력이란 자신이 앓고 있는 질병을 감지한다는 의미일 뿐입니다. 어떤 사람이 병을 앓고 있으면서도 그것을 느끼지 못한다면, 그 사람이야말로 정말로 중병을 앓고 있다고 해야 하지 않겠습니까? 우리는 인생의 특정 시점에 신적인 것으로 도약하기 위해서 그 무기력을 감지합니다. 그러면 앞에서 이야기한 우리

안에 주입된 그 질병을 내면에서 느낍니다. 내면의 그 질병을 감지하면서, 오늘날 되어 있는 그대로의 육체로 인해 영혼도 그 육체와 함께 죽어야 하는 숙명에 처해있음도 감지합니다. 그 무기력을 충분히 강하게 감지하면 상황은 반전됩니다. 우리에게 다른 체험이 생겨납니다. "육체의 힘을 통해서만 도달 가능한 것에 몰두하지 않고 정신이 우리에게 부여하는 것에 몰두한다면, 그렇게 할 수 있기만 하다면, 우리가 그 내적인 영혼의 죽음을 극복할 수 있다. 우리의 영혼을 다시 찾아서 정신에 연결할 가능성을 얻을 수 있다." 한편으로 우리는 현존의 덧없음을 체험할 수 있습니다. 그 다음에 무기력의 흔적을 극복하면, 우리 스스로 현존의 광영을 체험할 수 있습니다. 무기력 속에서 질병을 감지할 수 있습니다. 우리가 그 무기력을 체험하면, 우리가 영혼 속에서 죽음과 유사하게 되면, 구세주도, 치유하는 힘도 느낄 수 있습니다. 구세주를 감지하면, 스스로의 내적인 체험 속에서 매 순간 죽음을 벗어나 부활할 수 있는 무엇인가가 우리 영혼에 들어있다는 것도 역시 느낍니다. 이 두 가지 체험을 찾는다면, 우리는 자신의 영혼 속에서 그리스도를 발견합니다.

48 이것이 바로 현재의 인류가 다가서고 있는 체험입니다. 앙겔루스 실레시우스* 는 그것을 다음과 같이 의미심장한 말로 표현했습니다.

골고다의 십자가,
그것이 너의 내면에 세워지지 않는다면,

~

* Angelus Silesius(1624-1677)_독일 시인 이자 신비주의 철학자

너는 악으로부터 구원되지 못하리니.*

자신의 육체성으로 인한 무기력함, 자신의 정신을 통한 부활. 인간이 이 양극을 느끼면, 그러면 골고다의 십자가가 인간 내면에 세워집니다.

49 두 부분으로 되어 있는 내면의 체험이 바로 골고다의 신비를 향하도록 합니다. 골고다의 신비는 "초감각적으로 발달된 능력이 내게는 전혀 없다."라고 변명하면서 발뺌할 수 없는 안건입니다. 골고다의 신비와 관련해서는 그런 능력이 필요 없습니다. 진정한 자아 성찰을 연습하고, 그 자아 성찰에 대한 의지를 키워야할 뿐입니다. 오늘날 사람들은 알아채지 못하는 널리

* 앙겔루스 실레시우스의 〈방랑하는 거룹 천사Der Cherubinische Wandermann〉 중에서

만연되어 있는 교만, 그 교만을 극복할 의지를 키워야 할 뿐입니다. 인간이 인간으로서 내면에 지니는 힘에만 의지하면, 바로 그 힘 때문에 교만스러워짐을 사람들은 알아채지 못합니다. 그 교만과 관련해 인간 스스로 지니는 힘 때문에 결국 무기력하게 되었다는 것을 느끼지 못한다면, 그러면 죽음도, 부활도 역시 느낄 수 없습니다. 그러면 앙겔루스 실레시우스의 생각에도 동감하지 못합니다.

> 골고다의 십자가,
> 그것이 너의 내면에 세워지지 않는다면,
> 너는 악으로부터 구원되지 못하리니.

그런데 일단 그 무기력을 감지하고, 그 다음에 그것을 벗어나서 회복된 상태를 감지할 수 있으면, 행운이 다가옵니다. 예수 그리스도에 대해 진정으로 실체가 있는 관계가 생겨납니다. 왜냐하면 이 체험은, 우리가 수백 년 전 정신세계에서 한 체험의 반복이기 때문입니다. 여기 이 물체의 차원에서는 영혼 속에 비치는 형상에서 그 체험을 찾아야 합니다. 여러분의 내면에서 찾으십시오. 그러면 무기력을 발견할 것입니다. 그 무기력을 발견한 후에 계속해서 찾으십시오. 그러면 그 무기력에서 구원될 것입니다. 그러면 정신을 향하는 영혼의 부활을 발견할 것입니다.

50 하지만 그렇게 찾으면서, 오늘날 신비주의로서 설파되는 것, 혹은 긍정적이라해도 특정 종파가 설교하는 여러가지에 미혹되지 않도록 주의하십시오. 예를 들어서 하르나크* 가 그리스도에 대해

* Adolf von Harnack(1851-1930)_ 독일 프로테스탄트 신학자, 교회사가, 주저서『교리주 교본』,『그리스도교의 본질』(편집자주)

여러 가지를 말하는데, 그의 말은 진실이 아닙니다. 그리스도에 관한 그의 말은 _여러분이 직접 읽어 보십시오_ 보편하게 모든 신에 해당하는 내용이라는 단순한 이유로 진실이 아닙니다. 그가 하는 말의 내용은 유태교의 신에도 대입할 수 있고, 이슬람교의 신에도 대입할 수 있습니다. 심지어는 다른 모든 신에도 그의 말을 대입할 수 있습니다. 오늘날 많은 사람이 "내 내면에서 신을 체험한다." 고 말하면서 이른바 '일깨워진 사람'이라 자칭합니다. 그런데 그들은 자신이 병을 앓고 있다는 것도, 전해 내려오는 것을 앵무새처럼 되뇌고 있다는 것도 실은 알아차리지 못하는 상태에 있으며, 바로 그렇기 때문에 그들은 사실 하느님 아버지만, 그것도 약화된 형상으로만 체험할 뿐입니다. 예를 들어서 요한네스 뮐러*가 그런 사람 중에 하나입니다. 아무리 그래도 그들 모두에게는 그리스도가 없습니다. 왜냐하면 그리스도-체험은 인간 영혼 속에서 신을 체험하는 데에 있지 않기 때문입니다. 그리스도-체험은 다음의 두 가지 체험으로 이루어집니다. 영혼 속에서 육체로 인한 죽음의 체험, 그리고 정신을 통한 영혼의 부활 체험. 내면에서 신을 느낀다고 말만 하는게 아니라_순전히 수사학적 신지학자들이 흔히 그런 주장을 합니다_ 두 가지 체험에 관해, 즉 무기력과 그 무기력으로부터의 부활을 말할 수 있는 사람, 바로 그 사람이야말로 진정한 그리스도-체험에 관해 말하는 것입니다. 그런데 바로 그 사람은 골고다의 신비를 향하는 초감각적인

* Johannes Müller(1864-1949)_ 독일 인생 철학자. 사회, 종교 문제에 관해 여러 저서를 출판했다.

길에서 깨닫습니다. 특정 초감각적 능력을 고무하는 힘, 골고다의 신비로 인도하는 바로 그 힘은 각자가 스스로 발견해야 함을.

51 오늘날의 인간은 의심의 여지없이 자신의 직접적인 체험 속에서 그리스도를 발견할 수 있습니다. 왜냐하면 인간이 스스로를 다시 발견하면, 무기력을 벗어나 스스로를 다시 발견하면 그리스도를 발견하기 때문입니다. 우리 자신의 힘에 대해 겸손하게 숙고하면 우리를 덮치는 공허감, 바로 그 통렬한 공허감이 그리스도-자극에 앞서서 먼저 생겨나야 합니다. 영리하다고 자부하는 신비주의자들은 "내 자아 속에서 고차적인 자아, 신적인 자아를 발견했다." 고 말할 수 있게 되면, 그런 것들이 이미 기독교라 믿습니다. 아닙니다. 그런 것은

기독교가 절대 아닙니다. 기독교는 바로
다음의 문장만 기반으로 삼을 수 있습니다.

> 골고다의 십자가,
> 그것이 너의 내면에 세워지지 않는다면,
> 너는 악으로부터 구원되지 못하리니.

지금까지 이야기한 것이 어느 정도로
진실인지는 인생의 소소한 일들에서
이미 감지할 수 있습니다. 인간은 소소한
일상사에서 무기력이라는 위대한 체험을
향해, 그 다음에 그 무기력을 벗어나 부활하는
위대한 체험을 향해 도약할 수 있습니다.
사랑하는 여러분, 특히 우리 시대에는 예를
들어서 다음과 같은 사실을 발견한다면
아주 유익할 것입니다. 진실을 추구하려는
경향이 인간 영혼의 아주 깊은 곳에 놓여
있습니다. 그리고 진실을 말하려는 경향도
있습니다. 그런데 우리가 진실을 표현하려는

의도 깊숙이 발을 딛고 있으면서 진실의 표현에 대해 숙고해 보면, 바로 그 지점에서 우리는 신적인 진실에 대한 인간 육체의 무기력을 감지하는 방향으로 한 걸음 내딛을 수 있습니다. 여러분이 '그-진실의-표현'에 대해 진정한 자아 성찰을 추구하는 바로 그 순간에 아주 기이한 상태에 이릅니다. 어느 시인*이 그에 대해 다음과 같이 말했습니다. "영혼이 **말을 하면**, 그렇게 말하면서, 오호 통재라! 더는 이미 **영혼**이 아니로다!" 우리가 내면에서, 영혼 속에서 진실로서 진정으로 체험하는 것은 말로 표현되는 그 경로에서 이미 무뎌지고 맙니다. 그 체험은 말로 표현되는 동안 완전히 말살되지 않는다 해도 상당히 무뎌집니다. 그리고 언어를 잘 아는

* 프리드리히 실러Friedrich Schiller(1759~1805) 『Tabulae votivae』에서

사람은, 언제나 오로지 **하나의** 사물을 칭하는 하나의 고유한 이름이 있고, 그 외의 이름은 그 사물을 위한 올바른 명칭이 될 수 없다는 사실을 잘 압니다. 명사든, 동사든, 형용사든 우리는 일반화된 명칭을 지니는 즉시 완벽한 진실을 말할 수 없게 됩니다. 근본적으로 보아 우리가 하는 모든 말과 더불어 진실에서 멀어질 수 밖에 없다는 사실을 의식하는 데에 진실이 존재합니다.

52 "매번 주장할 때마다 너는 진실에서 멀어진다." 이 고백에서 정신과학적으로 부활하려고 노력하는데, 제가 자주 성격화하는 특정 방식으로 합니다. 정신과학에서는 사람이 무엇을 말하는지는_말의 내용 자체가 바로 그 무기력의 판단에 여지없이 빠질 것이기 때문에_ 그리 중요하지

않다고 자주 이야기했습니다. 중점은 한
가지 내용을 **어떻게** 말하는지에 있습니다.
어떻게 각기의 사항이 온갖 다양한 각도에서
성격화될 수 있는지 한 번 추적해 보십시오.
제 저서들에서도 추적해 볼 수 있습니다. 한
가지 주제를 우선은 이 측면에서 성격화하고,
그 다음에는 저 측면에서 성격화하기 위해
제가 얼마나 부단히 애쓰는지 한 번 추적해
보십시오. 그렇게 할 때에만 사건이나
사물 그 자체에 접근할 수 있습니다. 예를
들어서 언어와 오이리트미*는 각기 상이한
것이라고 믿는 사람들이 있습니다. 완전히
잘못된 생각입니다. 사람이 하는 말은 공기의
도움으로 후두를 통해 실행하는 오이리트미일

* Eurythimie _'아름다운 동작', '아름다운 리듬'을 뜻하는 그리스 어, 루돌프 슈타이너가 창안, 1912년 선보인 것으로, 언어와 음악을 움직임으로 시각화한 동작 예술

뿐입니다. 사지로 만들어지지 않을 뿐이지 말도 역시 몸짓입니다. 후두로 만들어지는 몸짓인 것이지요. 그런데 단어로는, 말로는 어떤 것을 암시만 할 뿐이라는 사실을 명심하십시오. 그리고 우리가 표현하고자 하는 것의 암시를 말 속에서 볼 때에만, 단어 속에 암시가 들어 있다는 사실을 의식하면서 인간으로서 우리가 공생할 때에만, 그럴 때에만 우리는 진실에 대한 올바른 관계를 얻습니다. 이와 관련해서 다른 여러 가지가 있지만 그 중에서도 오이리트미를 봅시다. 오이리트미는 인간 전체를 후두로 만듭니다. 보통은 후두로 표현하는 것을 인간 전체를 통해서 표현한다는 의미입니다. 그렇게 함으로써 사람이 소리 언어로 말할 때에도 역시 몸짓을 만들고 있다는 것을 다시금 알아차리게 됩니다. '아버지', '어머니'

라는 단어를 표현합니다. 내가 모든 것을 일반화한다고 합시다. 그러면 상대방이 나와 함께 공동체적 요소 안에서 '아버지', '어머니'라는 말에 익숙해져 있는 경우에만, 달리 말해서 상대방이 바로 그 몸짓을 이해하는 경우에만 나는 진실성을 담아서 표현할 수 있습니다. 바로 이런 경우에만 우리는 언어에 대해 느낄 수 있는 그 무기력을 벗어나서 부활합니다. 우리가 입을 여는 그 순간에 이미 그리스도적으로 될 수 밖에 없다는 사실을 이해하면, 거기에서 부활의 축제를 거행합니다. 말씀에서, 즉 로고스에서 발달을 거쳐서 현재 되어진 것은, 로고스가 다시금 그리스도와 연결될 때에만 이해될 수 있습니다. "육체가 표현의 도구인 한 진실을 짓눌러 내리고, 그래서 진실은 우리의 입술에서 부분적으로 죽어간다.

그리고 우리는 그 진실을 정신화해야 한다고 의식하면, 언어를 언어 그대로 수용하지 않고 정신을 함께 생각해야 한다고 의식하면, 죽어가는 진실을 그리스도 안에서 다시금 소생시킬 수 있다." 바로 이 사실을 의식하면 로고스가 그리스도와 다시금 연결됩니다. 사랑하는 여러분, 우리는 그렇게 할 수 있도록 반드시 배워야만 합니다.

53 내일 강연에서 이런 주제를 다룰 만한 시간이 허락될지 모르겠습니다. 사정이 된다면 저는 당연히 그렇게 하고 싶습니다. 그래도 오늘 이 자리에서 먼저 당부하는데, 내일 다시 한 번 이 주제를 반복한다 해도 개의치 않으셨으면 합니다. 여기 이 강연에서는 제가 이미 여러 곳에서 했던 다른 강연의 내용을 일단 이야기하겠습니다.

여러분도 기이한 것들을 발견할 수 있을 것입니다. 한 가지 특이한 경우를 예로 삼아 그것을 성격화해 보겠습니다. 정말로 극히 흥미로운 논설이 있는데, 그것을 꼼꼼히 검토해 보았습니다. 미국 역사, 미국 문학, 미국인의 생활에 관한 강연집인데 우드로우 윌슨*이 썼습니다. 우드로우 윌슨은 미국의 발달이 어떻게 동부에서 서부로 진행되는지를 놀라울 정도로 인상 깊게 서술한다고 말할 수 있습니다. 그는 철저히 미국인으로서 서술합니다. 논설집으로 출판된 그 강연들은 정말로 독자를 사로잡습니다. 저자는 그것이 단지 문학일 뿐이라고 합니다. 그래도_우드로우 윌슨은 전형적인 미국인이기 때문에_ 그 논설을 읽어보면

* Woodrow Wilson(1856~1924)_미국 28대 대통령. 『Mere Literature and Other Essays』

미국의 본질을 알아볼 수 있습니다. 이제 제가 우드로우 윌슨의 논설에 담긴 몇 가지를 헤르만 그림*의 표현과 비교해 보겠습니다. 헤르만 그림은 철저하게 19세기의 전형적인 독일인입니다. 헤르만 그림이 쓴 글의 양식은 정말로 제 마음에 듭니다. 그런 만큼 우드로우 윌슨의 글은 제 마음에 전혀 들지 않습니다. 그런데 이런 것은 그저 개인의 취향일 뿐입니다. 저는 헤르만 그림의 서술 양식을 정말로 좋아합니다. 그리고 우드로우 윌슨의 서술 양식에는 제게 아주 거슬리는 어떤 것이 들어 있다고 느낍니다. 그렇기는 해도 고찰은 완전히 객관적으로 할 수 있습니다. 전형적인 미국인인 우드로우 윌슨은 아주 매끄럽고 수려하게 주로 미국 국민의 발달에

* Herman Grimm(1838-1901)_ 독일 예술사가

대해 서술합니다. 그런데 우드로우 윌슨과
헤르만 그림, 그 두 사람 모두 역사 방법론에
관한 논설을 썼고, 제가 그 논설들을 비교
검토하면서 조금 다른 무엇인가가 고찰
대상이 되었습니다. 우드로우 윌슨의
문장들을 뽑아내서 헤르만 그림의 문장들과
비교해 보면 문자 그대로 딱 맞아떨어집니다.
헤르만 그림의 문장을 우드로우 윌슨의
논설로 번역이라도 해 놓은 듯이 정확하게
맞아떨어집니다. 윌슨은 전혀 표절하지
않았습니다! 저는 이 자리에서 우드로우
윌슨이 헤르만 그림의 논설을 표절했다고
말할 생각은 전혀 없습니다. 절대 표절하지
않았습니다! 이는 의심의 여지가 없습니다.
바로 여기에, 부르주아나 꽁생원이 되지
않으면서도 배울 수 있는 상당한 무엇인가가
있습니다. "두 사람이 똑 같은 내용을 똑

같은 형태로 말한다 해도, 그 양자는 사실 똑 같지 않다!" 그렇다면 이제 의문이 생깁니다. 우드로우 윌슨은 헤르만 그림의 역사 방법론적 서술 양식에 비해 사실 훨씬 더 인상 깊게, 훨씬 더 암시적으로 미국인을 서술했습니다. 그리고 그렇게 하면서 흡사 헤르만 그림의 문장을 베낀 듯이 서술했다면, 거기에서 과연 무엇이 기이한가? 이것이 실로 의문 사항이 됩니다.

54 이제 이 의문을 숙고해보면 다음의 사실을 발견합니다. 헤르만 그림의 양식을, 그가 쓴 모든 것을 추적해보면, 문장 하나하나가 그 사람 스스로, 개인적으로 쟁취했다는 것을 알아볼 수 있습니다. 모든 내용이 19세기 문화의 빛 속에서 드러납니다. 그런데 의식영혼에서 직접적으로 나옵니다.

우드로우 윌슨은 아주 수려하게 서술하기는 해도 그의 잠재의식에 들어 있는 무엇인가에 사로잡혀 있습니다. 흡사 악마에 사로잡힌 듯한 어떤 것이 있습니다. 그가 써 내린 바로 그것을 불어넣은 무엇인가가 그의 잠재의식 속에 있습니다. 악마가, 물론 20세기의 미국인에게서 아주 특이한 양식으로 전면에 등장하는 악마가 윌슨의 영혼을 통해서 말을 합니다. 바로 그래서 그 걸출함, 그 수려함이 있습니다.

55 오늘날의 사람들은 어떤 책에서 무엇인가를 읽으면 게으르다 보니 "예전에 읽은 그 책에도 이런 내용이 있었지…"라고 생각할 뿐입니다. 그저 내용만 주시합니다. 사실 내용은 별로 중요하지 않습니다. 과연 **누가** 그 내용을 말하는지, 그것이 중요합니다.

바로 그것을 인류가 배워야만 하는 시대가 오늘날입니다. 말은 단지 몸짓이고, 누가 그 몸짓을 하는지 알아야 하기 때문에, 어떤 사람이 말하는 내용에서 그 사람을 알아내야 합니다. 인류는 바로 이런 것에 익숙해져야 합니다. 바로 여기에, 사랑하는 여러분, 가장 하잘 것 없는 일상사에 엄청나게 커다란 불가사의가 놓여 있습니다. 문장 하나하나가 개인의 자아 속에서 쟁취되는지, 아니면 아래나 위에서, 혹은 오른쪽이나 왼쪽에서 어떤 방식으로 예를 들어 불어넣어지는지, 그 양자 간에는 차이가 있습니다. 그렇게 불어넣어진 것은, 독자 스스로 그 내용을 문장마다 새로이 쟁취하지 않으면 안 되기 때문에 심지어는 누군가가 쟁취한 것에 비해 더 암시적으로 작용합니다. 한 시대가 다가옵니다. 사람이 영혼 앞에 놓인 것을 단순히 쓰인 그대로의 내용으로만 보아서는 안 되는 시대가 도래하고 있습니다. 다른 모든 것은 차치하고, 이러저러한 말을 하는 바로 그 인간을 보아야 하는 시대가 도래하고 있습니다. 물론 겉모양의 육체를 지닌 인물을 의미하지 않습니다. 완전히 인간적-정신적인 연관성을 주시해야 한다는 말입니다.

56 "어떻게 그리스도를 발견할 수 있는가?"라고 사람들이 오늘날 질문한다면, 바로 그런 답을 주어야만 합니다. 왜냐하면 어떤 종류의 망상을 통해서나 쾌적한 신비주의를 통해서는 그리스도에 이를 수 없기 때문입니다. 그리스도는, 삶 속으로 그야말로 여지없이 들어설 용기, 그 용기가 있는 사람만 그에게 도달하도록 허용합니다. 그렇게 되기 위해서 여러분은 역시 언어를

마주 대해서도, 육체가 언어의 운반자이기 때문에 여러분이 처해 있을 수 밖에 없는 그 무기력을 느껴야만 합니다. 바로 그것입니다. 사실 여러모로 보아 역시 오해되고 있는 표현이기도 한데, "자모음은 말살한다. 정신이 다시 살려낸다"라고 말만 해서는 안 됩니다. 이미 소리는 말살시킵니다. 그리고 각각의 체험에서 정신은 그것을 구체적으로 그리스도에, 골고다의 신비에 연결하면서 다시금 생생하게 살려 내야만 합니다. 이렇게 첫 발걸음을 내딛으면서 그리스도를 발견합니다. 여러 책 속에 수려한 문장들이 들어있더라도, 그저 그 내용만 주시하면서 그리스도를 찾아서는 안 됩니다. 인간적 연관성을 찾으십시오. 문장들이 말해지는 원천에서 단어들이 과연 어떤 식으로 흘러나오는지를 찾으십시오. 그것이 점점 더 중요해질 것입니다. 바로 우리들 중 다수가 이 점을 마음 깊이 새긴다면, "저 사람은 완전히 인지학적으로 혹은 신지학적으로 설명하는데, 그것은 그저 책을 한 번 읽어보면 다 아는 사실이야!"라고 말하는 사람들을 그리 자주 조우하지 않을 것입니다. 어떤 단어들이 쓰여 있는지는 중요하지 않습니다. 어떤 정신에서 그 단어들이 나왔는지가 중요합니다. 우리는 인지학으로 단어가 아니라 정신을 확산시키고자 합니다. 그런데 그것은 기독교 정신, 특히 20세기 이후의 기독교 정신이 되어야만 하는 정신입니다.

57 사랑하는 여러분, 바로 이것을 이 강연에 연결시키고 싶었습니다. 제가 여드레

전에 여기에서 했던 강연*에 이 사실을 연결시킬 수 있어서, 그리고 우리 마음 깊이 와 닿는 이 주제를 다시 한 번 말할 수 있어서 매우 흡족합니다. 가까운 시일 안에 여기 취리히에서 이 방면에 대한 고찰을 계속 할 수 있기를 고대해 봅니다. 우리가 비록 공간적으로는 서로 떨어져 있다 해도, 인지학을 하는 사람으로서 영혼으로는 서로 함께 연결되어 있다는 점을 이런 의미에서 항상 명심합시다. 그리고 또한 이런 의미에서 우리는 인류 사이에 항상 관장하고 작용하는 정신 속에서 신의를 다해 함께 머물기로 합시다.

---

* 『천사는 우리의 아스트랄체 속에서 무엇을 하는가?』 1918년 10월 9일, 취리히 강연 (푸른씨앗, 2017)

>>> 이 강연은 루돌프 슈타이너가 제1차 세계 대전 때 독일의 여러 도시를 돌면서 인지학 협회 회원들을 대상으로 했던 강연들 중 하나로 항상 다음의 추도사로 강연을 시작했다.

••

사랑하는 여러분, 다른 무엇보다도 이 험난한 시기에 저 바깥의 전쟁터에, 인류 발달을 위해 너무나 많은 것이 결정되어야 할 그 전쟁터에 서 있는 형제들을 기리는 것이 지난 몇 년 간 우리의 관례가 되었습니다. 우리가 고찰을 시작하기 전에 그들을 보호하는 정신들을 부르면서 전쟁터에 있는 사람들을 기리도록 합시다.

땅의 영혼들을 지키는 이들이여,
땅의 영혼들을 돌보는 이들이여,
정신들이여, 인간영혼을 보호하면서
세계 지혜로부터 사랑으로 일하는 이들이여:
우리의 간청을 들으소서, 우리의 사랑을 돌아보소서,

임들 구원력의 빛살로 합일을 원하네:
정신을 바치면서, 사랑을 보내면서.

이제 전쟁으로 인해 죽음의 문을 통과한 이들을 보호하는 정신들을 향합시다.

하늘의 영혼들을 지키는 이들이여,
하늘의 영혼들을 돌보는 이들이여,
정신들이여, 영혼인간을 보호하면서
세계지혜로부터 사랑으로 일하는 이들이여;
우리의 간청을 들으소서, 우리의 사랑을 돌아 보소서.
임들 구원력의 흐름으로 합일을 원하네,
정신을 예지하면서, 사랑을 뿜어내면서.

우리가 정신과학을 통해 가까이 다가서고자 하는

그 정신, 지구에는 은총을, 인류에는 자유와 진보를 주고자 골고다의 신비를 통과해 가기를 원했던 그 정신, 그가 임들과 함께 할지니, 임들의 무거운 의무와 함께 할지니.

• •

루돌프 슈타이너 약력과 저작물에 대한 개관

1861 2월 27일 오스트리아 남부 철도청 소속 공무원의 아들로 크랄예베치(지금은 크로아티에 속함)에서 태어남. 오스트리아 동북부 출신의 부모 밑에서 오스트리아의 여러 지방에서 유년기와 청소년기를 보냄

1872 비너 노이슈타트 실업계 학교에 입학해 1879년 대학 입학 전까지 수학

1879 빈 공과 대학에 입학. 수학과 자연과학을 비롯하여 문학, 철학, 역사를 공부하고 괴테에 관한 기초 연구 시작

1882 최초의 저술활동 시작

1882~1897 요세프 퀴르쉬너가 주도하는 〈독일 민족 문학〉 전집에서 괴테의 자연과학 논문에 서문과 주해를 덧붙이는 일을 맡아 『괴테의 자연과학 저술에 대한 도입문과 주석』 5권 *(GA 1a~e)* 발간

1884~1890 빈의 한 가정에서 가정교사로 생활

1886 '소피' 판 괴테 작품집 발간에 공동 작업자로 초빙. 『실러를 각별히 고려한 괴테 세계관의 인식론 기본 노선들』 *(GA 2)*

1888 빈에서 〈독일 주간지〉 발간. *(GA 31)* 빈의 괴테 협회에서

강연 『인지학의 방법론적 근거: 철학, 자연과학, 미학과 심리학에 관한 논문집』 *(GA 30)*

1890~1897 바이마르에 체류하면서 괴테/실러 문서실에서 공동 작업. 괴테의 자연과학 저작물 발간

1891 로스토크 대학에서 철학박사 학위를 취득하고 이듬해에 박사 학위 논문 증보판 출판. 〈진리와 과학: 『자유의 철학』서곡〉 *(GA 3)*

1894 『자유의 철학: 현대 세계관의 근본 특징, 자연과학적 방법에 따른 영적인 관찰 결과』 *(GA 4)*

1895 『프리드리히 니체: 시대에 맞선 투사』 *(GA 5)*

1897 『괴테의 세계관』 *(GA 6)* 베를린으로 거주지를 옮기고 오토 에리히 하르트레벤과 함께 〈문학 잡지〉와 〈극 전문지〉 발행.*(GA 29~32)* '자유 문학 협회', '기오르다노 브르노 연맹', '미래인' 등에서 활동

1899~1904 빌헬름 리프크네히트가 세운 베를린 '노동자 양성 학교'에서 교사로 활동

1900~1901 『19세기의 세계관과 인생관』집필 (1914년 확장판으로 『철학의 수수께끼』 *(GA 18)* 발표) 베를린 신지학 협회 초대로 〈인지학〉 강연 『근대 정신생활 출현시기의 신비학과 현대 세계관과의 관계』 *(GA 7)*

1902~1912 〈인지학〉을 수립하고 정기적인 공개 강연(베를린)과 유럽 전역을 대상으로 하는 강연 활동 시작. 지속

적인 협력자로 마리 폰 지버스(1914년 슈타이너와 결혼, 이후 마리 슈타이너)를 만남.

1902 『신비로운 사실로서의 기독교와 고대의 신비들』 *(GA 8)*

1903 잡지 〈루시퍼〉(나중에 〈루시퍼-그노시스〉로 변경) 창간. *(GA 34)*

1904 『신지학: 초감각적 세계 인식과 인간의 목적에 대한 소개』 *(GA 9)*

1904~1905 『고차 세계의 인식으로 가는 길』 *(GA 10)* 『아카샤 연대기에서』 *(GA 11)* 『고차적 인식의 단계들』 *(GA 12)*

1909 『신비학 개요』 *(GA 13)*

1901~1913 뮌헨에서 『네 편의 신비극』 *(GA 14)* 초연

1911 『인간과 인류의 정신적 인도』 *(GA 15)*

1912 『인지학적 영혼의 달력: 주훈週訓』 *(GA 40)* 『인간 자아 인식으로 가는 길』 *(GA 16)*

1913 신지학 협회와 결별. 인지학 협회 창립. 『정신세계의 문지방』 *(GA 17)*

1913~1922 첫 번째 괴테아눔 (목재로 된 이중 돔형 건축물로 스위스 도르나흐에 있는 인지학 본부) 건축

1914~1923 도르나흐와 베를린에 체류하면서 유럽 전역을 순회하며 강연 및 강좌 활동. 이를 통해 예술, 교육, 자연과학, 사회생활, 의학, 신학 등 수많은 영역에서 쇄신

이 일어나도록 자극. 동작예술 오이리트미(Eurythmie, 1912년 마리 슈타이너와 함께 만듦)를 발전시키고 교육

1914 『인간의 수수께끼에 관해』 *(GA 20)* 『영혼의 수수께끼에 관해』 *(GA 21)* 『〈파우스트〉와 〈뱀과 백합의 동화〉를 통해 드러나는 괴테의 정신적 본성』 *(GA 22)*

1919 남부 독일 지역에서 논문과 강연을 통해 '사회 유기체의 삼지적 구조' 사상을 주장. 『현재와 미래의 불가피한 사항에 있어서 사회 문제의 핵심』 *(GA 23)*, 『사회 유기체의 삼지성과 시대 상황(1915~1921)에 대한 논문』 *(GA 24)* 같은 해 10월에 슈투트가르트에 죽을 때까지 이끌어 가는 '자유 발도르프학교' 세움

1920 제 1차 인지학 대학 강좌 시작. 아직 완성되지 않은 괴테아눔에서 예술과 강연 등 행사를 정기적으로 개최

1921 본인의 논문과 기고문을 정기적으로 싣는 주간지 〈괴테아눔〉 *(GA 36)* 창간

1922 『우주론, 종교 그리고 철학』 *(GA 25)* 12월 31일 괴테아눔 방화로 소실(이후 콘크리트로 다시 지을 두 번째 괴테아눔의 외부 형태 설계)

1923 지속적인 강연과 강연 여행. 같은 해 성탄절에 '인지학 협회'를 '일반 인지학 협회'로 재창립

1923~1925 미완의 자서전 『내 삶의 발자취』 *(GA 28)* 및 『인지학의 기본 원칙』 *(GA 26)* 그리고 이타 베그만 박

사와 함께 『정신과학적 인식에 따른 의술 확대를 위한 기초』 *(GA 27)*를 집필

1924 강연 활동을 늘리면서 수많은 강좌 개설. 유럽에서 마지막 강연 여행. 9월 28일 회원들에게 마지막 강연. 병상 생활 시작

1925 3월 30일 도르나흐에 있는 괴테아눔 작업실에서 눈을 감다.

옮긴이의 말

제1차 세계 대전이 끝나기 직전인 1918년 10월 루돌프 슈타이너가 스위스 취리히에서 한 이 강연은, 전쟁 중에 한 7회의 강연을 묶은 단행본 『죽음, 이는 곧 삶의 변화이니!』(GA 182)에 실려있다.

슈타이너의 모든 강연에 해당하는 사항이지만 특히 이 강연의 경우 중간에 포기하지 않고 끝까지 읽는데에 이중적인 어려움이 있다는 생각이다. 한편으로는, 인지학적 정신과학을 기본적으로가 아니라 심층적으로 알지 못하면, 현대인에게는 완전히 새로운 시각으로 수세기에 걸

친 서양 역사를 훑어내려가는 양식에 굉장히 혼란스러운 느낌이 들 수 있다는 것이다. 다른 한편으로는, 이 강연의 내용이 외형상의 종교 조직과 내적인 신앙을 동일시하는 사람들에게 강한 거부감을 불러일으킬 수 있다는 것이다. 이 두 번째는 종교적 경향이 강한 한국인들에 더 해당되는 사항이다.

슈타이너는 현대인 모두 싫든 좋든, 인정하든 않든 인류 발달의 과정에서 필연적으로 소위 '신성 부정증'을 앓고 있다고 한다. 진정한 신앙은 외적인 종교 조직에 있지 않고, 인간이 그 질병을 통해 내적인 죽음을 체험하고 이미 자신의 내면에 살고 있는 그리스도를 통해 부활할 때 완성된다는 것이다. 그러므로 오늘날 종교의 목표는 종교 자체를 불필요하게 만드는 데에 두어야 한다고 역설한다. 슈타이너의 이런 생각은 현재의 종교인들에게 심각하게 이단적으로 비칠 것이다. 그런데 다음과 같은 질문을 해 볼 수 있다. "인간이 자신의 내면에 이미 존재하는 그리스도를 알아보는 내적인 시각이 부재하기 때문에 자신 외부의 종교에서 그리스도를 찾고 있는 것은 아닌가?" 더 나아가 역자는, 외형상 팽창하는 한국의 종교계는 급속도로 산업화되면서 물질주의가 만연한 한국 사회 구성원들의 내적인 공허감의 외적인 표현이라고 감히 말하겠다.

이런 의미에서 이 강연은 추상적으로 들리는 제목과 달리 현대인의 생활과 직결되는 내용을 담고 있다. 그리고 적어도 정말로 진지하게 찾는 사람에게는 그 길에서 한 발 더 나아갈 힘을 줄것이다.

••

어떻게 그리스도를 발견하는가?
Rudolf Steiner 강연 \ 최혜경 옮김

1판 1쇄 발행 2017년 12월 25일

펴낸이 발도르프 청소년 네트워크 도서출판 푸른씨앗

편집 백미경,최수진 디자인 유영란,이영희
번역·기획 하주현 마케팅 남승희 해외 마케팅 이상아

등록번호 제 25100-2004-000002호
등록일자 2004.11.26.(변경신고일자 2011.9.1.)
주소 경기도 의왕시 청계동 440-1 전화 031-421-1726
전자우편 greenseed@hotmail.co.kr 홈페이지 www.greenseed.kr
페이스북 www.facebook.com/greenseedbook

이 책의 국립중앙도서관 출판예정도서목록(CIP)은 서지정보유통지원시스템 홈페이지(seoji.nl.go.kr)와 국가자료공동목록시스템(nl.go.kr/kolisnet)에서 이용하실 수 있습니다.(CIP제어번호: CIP2017033290)

값 6,000 원
ISBN 979-11-86202-16-6 / 9791186202159 (세트)

푸른 씨앗의 책은 재생 종이에 콩기름 잉크로 인쇄합니다.

겉지_ 두성종이 마분지 209g/m²

속지_ 전주페이퍼 Green-Light 100g/m²

인쇄_ (주) 재능인쇄 | 031-948-5414

루돌프 슈타이너 1861~1925 강연

오스트리아 빈 공과대학에서 물리와 화학을 공부했지만 실은 철학과 문학에 심취해서 후일 독일 로스톡 대학교에서 철학박사 학위를 받았다.

바이마르 괴테 유고국에서 괴테의 자연과학 논설을 발행하면서 괴테의 자연관과 인간관을 정립하고 심화시켰다. 정신세계와 영혼 세계를 물체 세계와 똑같은 정도로 중시하는 인지학을 창시했다. 제1차 세계대전을 기점으로 추종자들의 요구에 따라 철학적, 인지학적 정신과학에서 실생활에 적용할 수 있는 학문분야를 개척하기 시작했다. 인지학을 근거로 하는 실용학문에는 발도르프 교육학, 데메테르 농법, 인지학적 의학과 약학, 사회과학 등 인간 생활의 모든 분야가 포함되며, 그 외에도 새로운 춤 예술인 오이리트미를 창시했고, 연극예술과 조형예술을 심화발달시켰다.

슈타이너는 자연과학자 헥켈, 철학자 하르트만 등 수많은 철학자, 예술가와 교류했다. 화가 칸딘스키, 클레, 에드가 엔데, 작가 프란츠 카프카, 스테판 츠바이크, 모르겐슈테른 등에 큰 영향을 미쳤다. 스위스 도르나흐에 세운 괴테아눔은 현대 건축사에 중요한 한 획을 그은 건축물로 손꼽힌다.

슈타이너의 저작물과 강연집은 루돌프 슈타이너 전집으로 출판되고 있는데, 현재 약 360권에 이른다.

최혜경 www.liilachoi.com 옮김

본업은 조형 예술가인데 지난 20년 간 인지학을 공부하면서 루돌프 슈타이너의 책을 번역해 왔다.

쓸데없는 것에 관심이 많은 사람이라 그림 그리고 번역하는 사이사이에 정통 동종요법을 공부하고, 약이 꼭 필요하다고 생떼를 쓰는 사람이 있으면 처방도 한다.

번역서_『발도르프 학교와 그 정신』,『자유의 철학』,『교육예술 1, 인간에 대한 보편적인 앎』,『교육예술 2, 발도르프 교육 방법론적 고찰』,『교육예술 3, 세미나 논의와 교과과정 강의』,『발도르프 특수 교육학 강의』,『사회문제의 핵심』,『사고의 실용적인 형성』,『인간과 인류의 정신적 인도』,『젊은이여, 앎을 삶이 되도록 일깨우라!』 밝은누리

저서_『유럽의 대체의학, 정통 동종요법』 북피아